오?

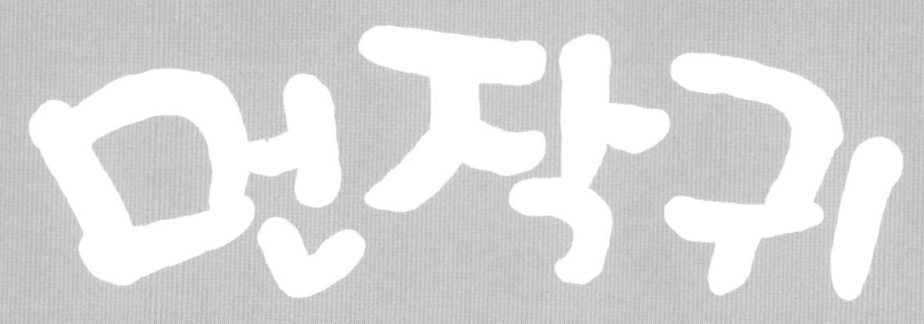

먼가 작고 귀여운 녀석

3

PRESENTED BY

나가노

차 례

와…

캐릭터

포쉐트 갑옷 씨

노동 갑옷 씨

라멘 갑옷 씨

시사

해달

'잠깐 하루하루'

과자

마크

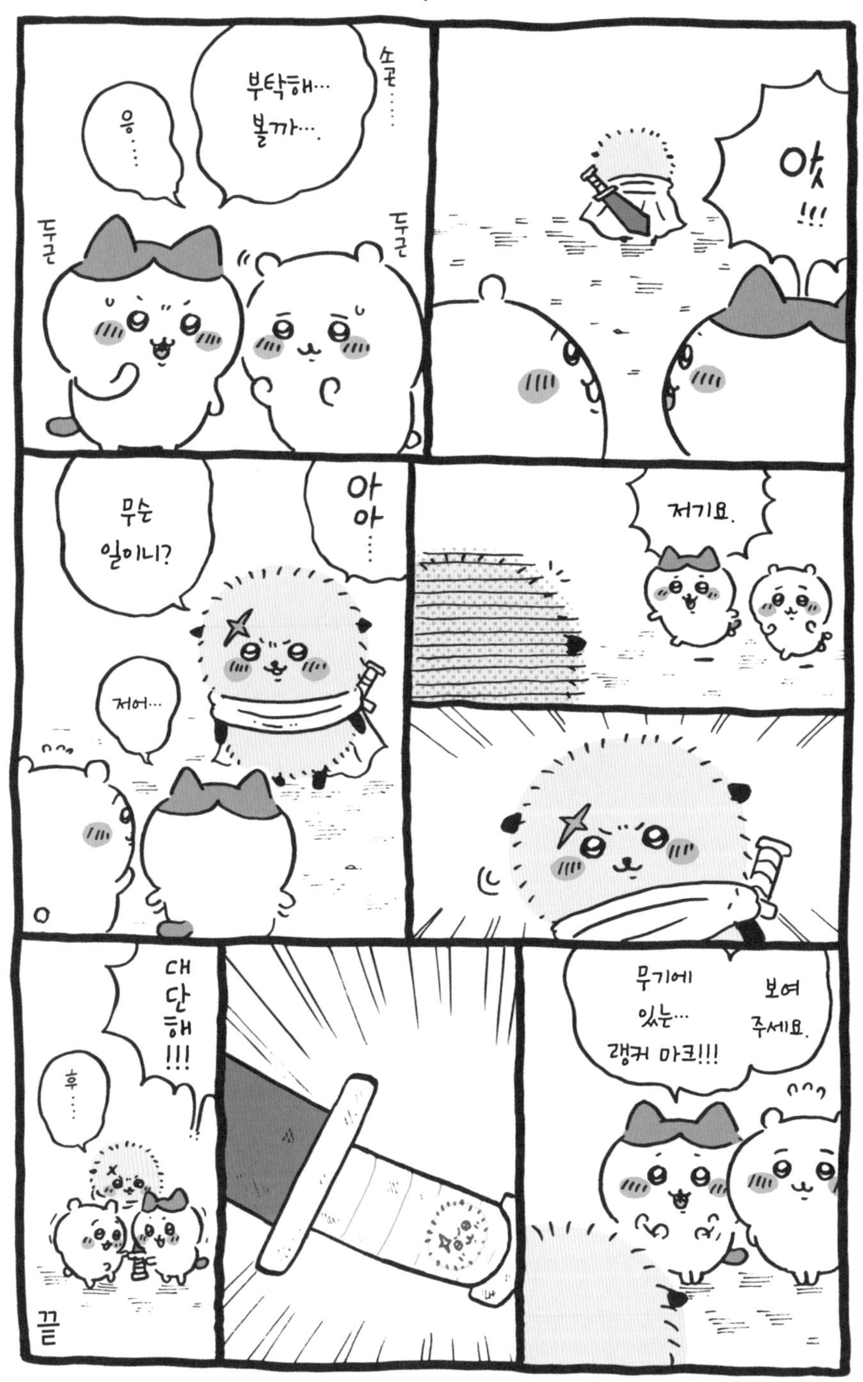

그물 지방

파르페

토끼의 무기

야·하·하
혹시…
토벌 갔다
돌아오는
길?!
어라
?
얏
그
'마크'는…
혹시…!!!
와~!……
이런 무기를
갖고 있었구나….
뿌루루
루루루루
루루
펑
펑
우앗. 이거
양쪽 끝에서 뭔가
나오는데?!!
아, 이거
유성펜이네.
네가 그린
거야?
와
치직…
우라
끝

러키 개복치

죽방울 아저씨

야쿠르트

BELIEVE

치직 치……
음악 나오는 데 가자~.
까
하하!
딩도로 딩동…
무슨 노래지…?
딩… 디리 동동 딩동…
곁에서~
내가 꼭~
만약 그대가~ 힘겨워서~ 쉬고 싶을 때는
소곤
<BELIEVE>다…
잡아줄게, 그 손을~.
그~래~ … 믿어봐~
이 가사… 좀 어려워….
아~아 빌리~브
끄덕
응……
…언~ 젠가~ 행복이~ 찾아올 거야~
끝

'스위치'

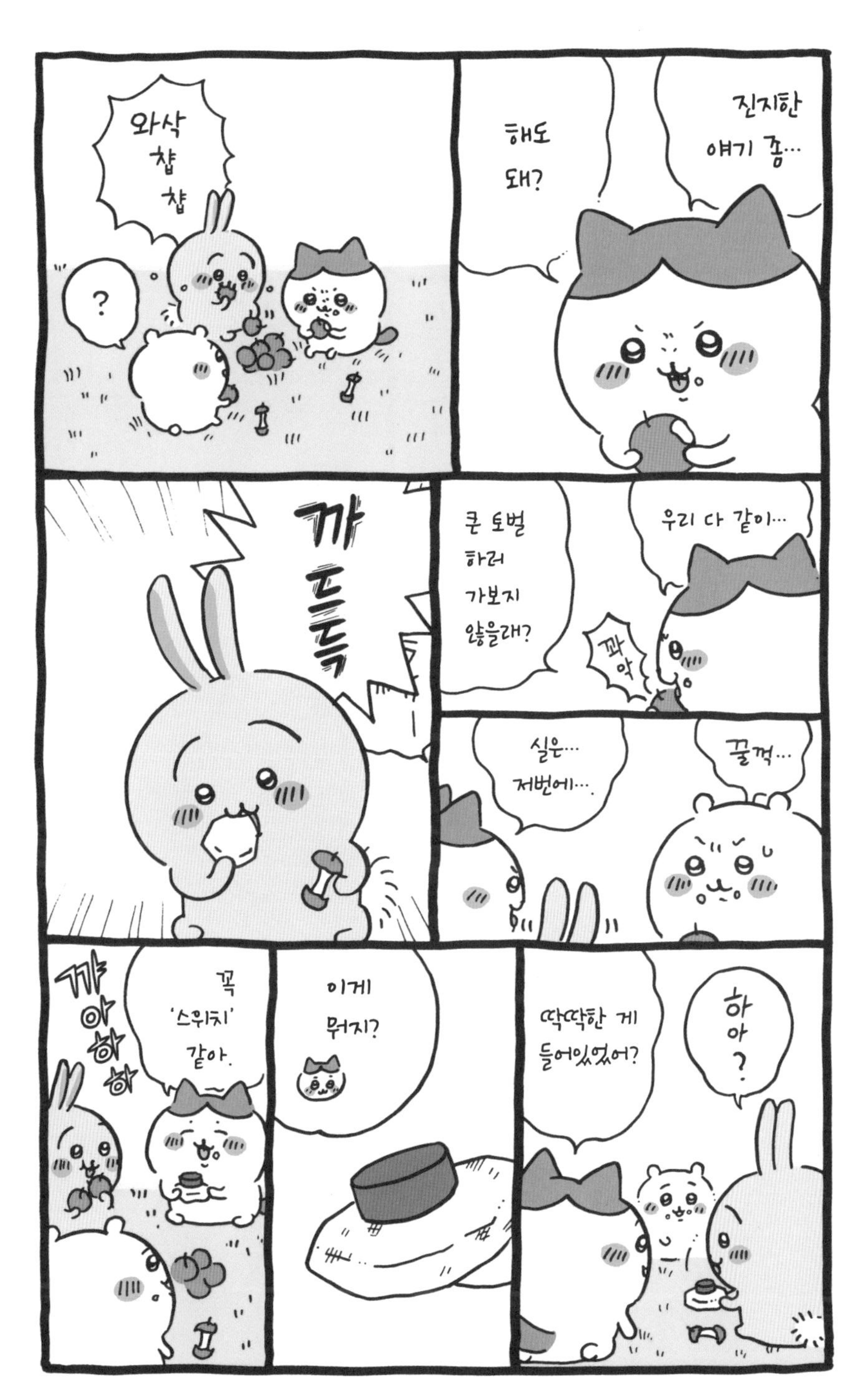
와삭 찹 찹
?
진지한 얘기 좀…
해도 돼?
까드득
우리 다 같이…
큰 토벌 하러 가보지 않을래?
콰악
꿀꺽…
실은… 저번에….
꼭 '스위치' 같아.
까아하하
이게 뭐지?
하아?
딱딱한 게 들어있었어?

랭커의….
삑
꽉…
그래서…
큰 토벌
말인데…
와삭
와삭
뭔가
눌러버렸다,
스위치.
앗…
?
하아?
뜨ㅡㅡ
ㅡㅡㅡ
와…
이 근방에서
들렸는데.
뭐지?
저벅
저벅

이걸로
작동한…
거야?!
부르르…
철커——엉
삑
콰
르
륵
삑
와삭
와삭
어둡네~.
다
다
다
야하
아아
아아
엇?
가보자!!
다
다
다
우앗, 우앗,
무슨
일이야?!
무
우우
우웁
바둥
바둥
무규우
우욱
철퍽

어~?!
뭐야
뭐야?!
?
탁
게다가
달콤한
계란말이 같은
냄새가 나.
쿵
쿵
와아~~……
하아?
와……
하아?
하아?
춤추고
있어….
……
몸은 부드럽고
말랑말랑해….
꼬옥
자세히 보니
'날개'도
있네~…?
와와…

다음에 또 오자.
응…
하아 아아아 이야 아아
오늘은 이만 가볼게~.
살랑 살랑
시끌
시끌
야얌~… 빠빠
루빠 루빠
제초 검정
후웃
털컹
와아앗 와앗 와앗

후우……
바들바들
우다다
히익
몸은 부드럽고
말랑말랑해…
……
살금。。。
말랑…
!!!
꼬옥
달콤한 계란말이 같은 냄새가 나.
킁…… 킁…
후훗…
응 응

따라왔다

응…
전혀 몰랐어~.
엇?!!
따라 왔다고?!
야아아 하아 아아앗
둘이 잘 맞는 거 같네.
찰싹
아
우앗!!!
꽈-당
새로운…
친구네…!!
끼야아-하하
시끌 시끌
응…
끄덕
끝

오지야 우동

오지야 우동에…
좌악…
유부 넣은 것.
엄청난 게 완성됐어….
와~….
와~ 아…
후루룹….
국물이 우러나서…
맛있어 ….
후—우…
후…후…
물끄럼….
먹으려나?
후—우 후….
앗… 먹었다!!
!!!
우와아…
끝

공부 중

어서 와

뛰는 거야

꼬물꼬물

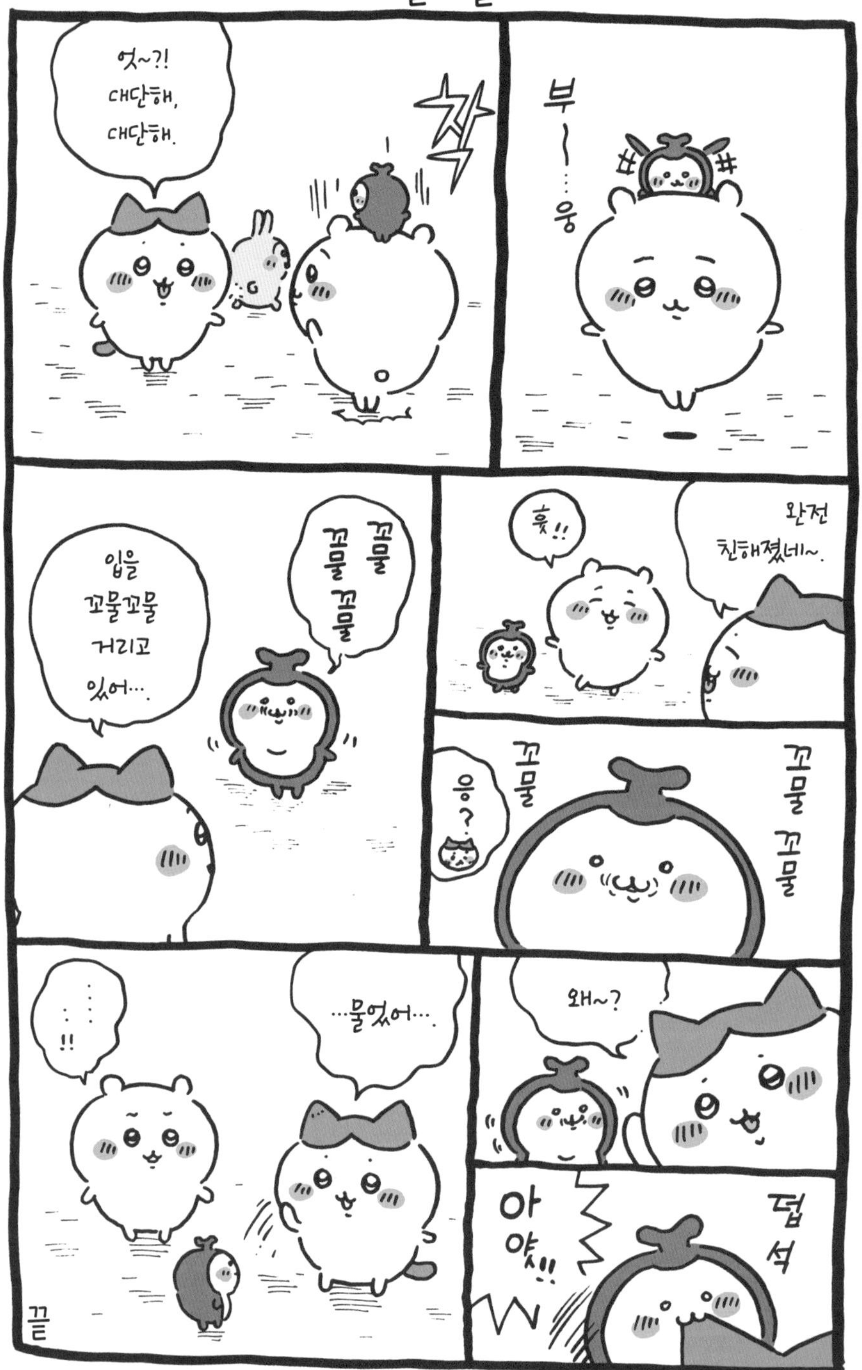

엇~?! 대단해, 대단해.
착
부~…웅
입을 꼬물꼬물 거리고 있어….
꼬물 꼬물 꼬물
훗!!
완전 친해졌네~.
꼬물 꼬물 꼬물
응?
왜~?
아야!!
덥석
……!!
…물었어….
끝

먹어버렸다

뭘까

앗… 안녕~….
안녕하세요~.
근데…
그건 뭐야?
그건 뭐니~?
설마…
'의태형'은 아니겠지~?
스위치로 동굴이 열렸는데…
친구가 되었어요.
뭐라고?
후다닥
앗!!
아얏!!
!!
혹시 잡아먹힐 뻔하거나 …
흉폭한 면이 보이거나
그러진 않았겠지 ~?

어!!
저건 분명 '의태형'이야….
내 경험상…
어디 가~?
이것들로 추측하건대….
게다가… '스위치'… '열리는 동굴'….
'위험한 의태형이 동굴에 갇혀 있었다'… 라는 뜻?!
그렇지.
어디로 없어졌어요.
으~…음
아무튼 쫓아가 보자.
친구인데~.
그런데
그 스위치는 어디에 있니?
다다다

다 다
다 다
이봐~.
꼬옥….
저 동굴로
들어간다.
꼬옥
싫어!
떨어지는 게
좋을 거야.
그거…
의태형일지도
모르니까
친구니까…
으~음
응?
뭐, 뭔가
늘어나고
있어!!
위험해
!!!!
쑤욱….

멧돼지
모나카와
※홀인
우앗
뾰로로롱
뭐야
뭐야?!!
와아…
따뜻한
녹차?!
슥
잘
먹겠습니다.
자…
와아아아
이거
과자야?!
녹차랑
잘 어울리네~.
놈놈놈
앙금이
촉촉해서
맛있어~….
냠…

※홀인 : 골프공을 본뜬 과자.

와아!!!!
'우호형'
이야…!!
이
접대력….
응…!!
꼬옥….
와아…아
착각해서…
미안해….
앞으로…
계속
함께야!!
역시
의태형이었어!!!
쑥욱
끝

하아?
부-…웅
와아…아…
강해
보여….

'기운 내'

샥
철컹
철컹…
철그럭…
시크릿
나와라.
슥
달칵
같이
열어보자!!
와-아!!
클리어
컬러
피에로…
와아-…
시크릿
나왔다!!!

저기…
까아 하하~
하하하
기운 차려서…
다행이야…
그렇게 기운이 넘쳐?
어~ 후훗
에잇 야-!!
끄덕
조용…
탁…
훅…… 훌쩍……
덜컹

뚝 뚝
......!!
뚝 뚝
벌컥
나무 열매로 만든 주스야.
찰랑
자, 여기.
기운이 좀 없는 것 같아서….
어쩐지… 아직은
기운이 날 거야.
비타민이 풍부해서 …
꿀꺽 꿀꺽
깨야
뭔지 하나도 모르겠어.
뿌루루 하
루루루 하
루루 하
끝
천천히 녹고 있어.
그건 뭐야?

‘진저에일’

상상 속…
술의 맛….

킥득 킥득

와…

쏴 아..

'진저에일'
은…

치익

하ー

하…

야

야

꿀꺽

오독 오독 오독 오독…

Asahi

감사
합니다~!!

오독 오독

스르륵…

힐끔…

성큼…

와아…

와…

성큼…

고추냉이 강씨

와~아~
건배~.
Asa
!!
스읍
코가 찡~할 텐데?
후우…
오독오독 오독오독
꿀꺽
꿀꺽 꿀꺽!!
와아~……
하~앗……
고추냉이 강씨
하~앗……
끝
찌~잉!
와와!!
꿀꺽 꿀꺽
꿀꺽

먹는 게
좋아.
쪼금씩…
끄덕

'드라이브'

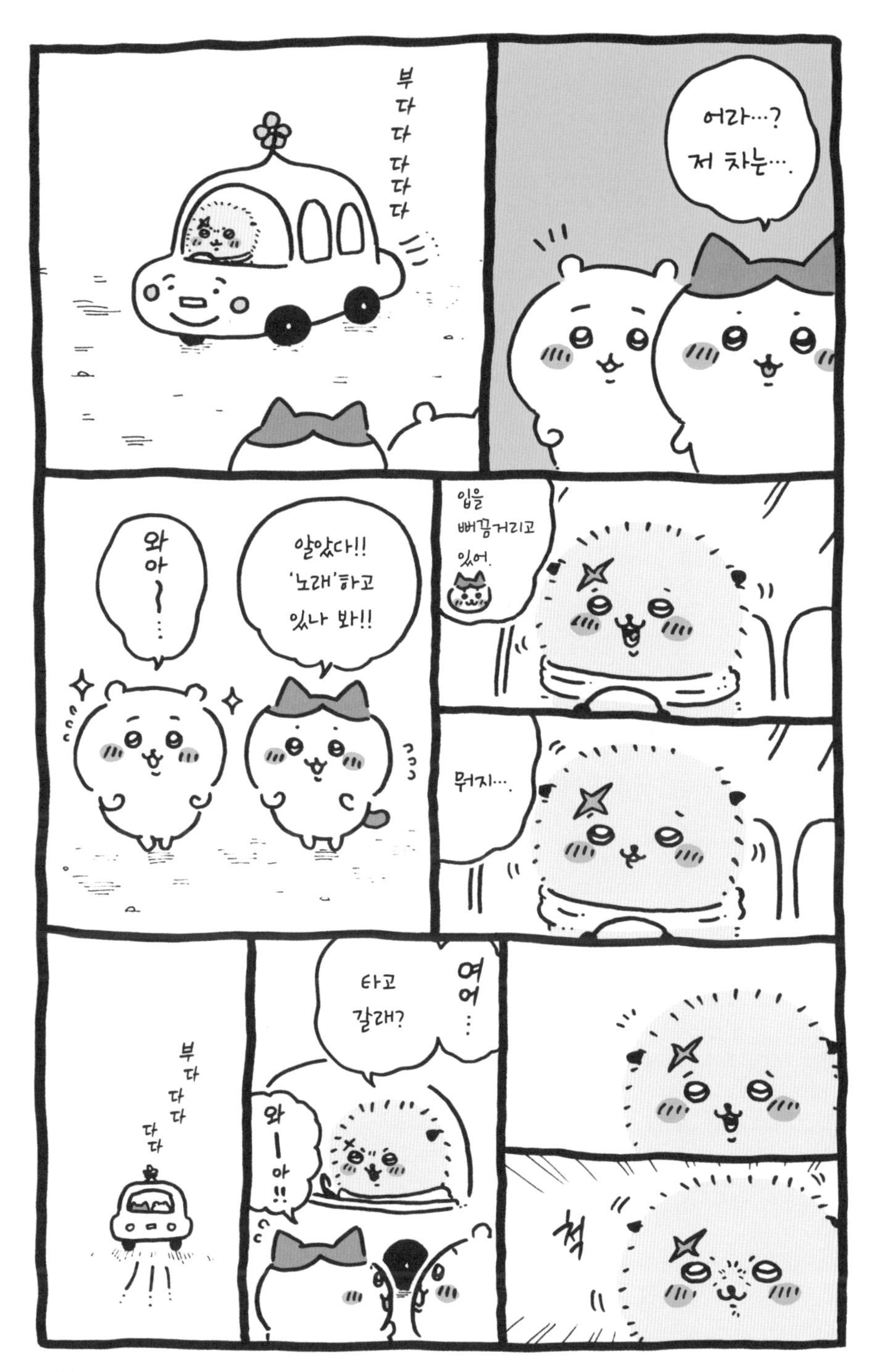
부다다다다다
어라…?
저 차는….
알았다!!
'노래'하고
있나 봐!!
와아~…
입을
뻐끔거리고
있어.
뭐지….
타고
갈래?
여어…
와ㅡ아!!
척
부다다다
다다

화장실?
꼼지락
꼼지락
소
휴게소.
들렀다 갈까.
덜컹
잠깐 쉴까….
꿀꺽 꿀꺽 꿀꺽
딸기 우유
후다닥
넓고 깨끗한 화장실이었어. 그치~?!
끄덕 끄덕
후….

…벌컥
보여주고 싶은 게 있단다.
부다다다 다다…
이제 슬슬 가볼까.
할짝 할짝…
소프트 크림
어느 날… 이 동상을 보며 맹세했지….
기념공원 군
그립군….
후…….
'강해지겠어'… 라고….
음냐 음냐
…돌아갈까.
끝

'꽃놀이'

다음은 노래나 불러볼까!!
킥득 킥득
아!!
꺄아~…
하하…
잘한다, 잘해.
딩가 딩가 딩가…
오래만에 들고 왔어!!
맞아. 이거…
쳐볼래?
짜아아~앙
슉 슉
짜~앙
대단하다…
뭐야, 그거?
혹시 칠 줄 알아?
우라

하하하
하하…
꺄아~…
앗
맛있는 경단 GET.
앗, 안녕하세요.
안녕~.
……
너무 친하게 지내는 거 아냐?
도리
도리
경단 먹을래?
단팥, 콩가루, 간장 맛이야.
다 같이… 한 알씩 나눠 먹고 싶어요.
오오!!
그렇게 하자!!
딱
와아

우
얏
!!!
안녕~.
오
꺄아~…
하하…
하하…
너도…
'친구'였어?!
어?
안녕~.
까, 깜짝이야.
으~음?!
엇?!
엇~?!
…
저번엔 고생 많았지~?
오~…
'친구'예요.
끄덕
벌떡
끝
그러는 너야 말로…
'친구' …였어?
아…

봐봐

자,
물티슈.
끈적……

‘인기 있는 파자마’

품절

감사 합니다~.
꼬옥
감사 합니다~.
시끌
시끌
파자마 ~~.
감사하게도 파자마 품절.
파자마 품절
탁
파자마?
파…
끄덕
!!
품절 됐는데…
다음에 또 와!!
다음에 …
서무룩…
끝

다행이다

…이젠 안 올지도.
또 올까?
……
엇…?!
…
뿔 달린 거… 뿔 달린 거….
잠깐만.
끄덕
문 여는 걸 기다린 거야?!!
무…
여기, 고마워.
다행이다….
다다다…
입고 가게?!
엇…
끄덕
끝

똑같았다

꺄하하
하하…
꺄아~
탁…
탁…
……
……
아장
아장
아장
!!
밖에서도
입는
거구나.
역시
이거…
우리랑
'똑같았지'
~?!
색깔만
다르고.
응
응
저기…
아장
아장…
방금…
끝

'과자 나라오카'

띄어쓰기

있잖아, 있잖아.
과자 나라라고 알아?
도리… 도리…
갈까?! 지금!!
와…
과자 ● 나라오카
여기야.
과자 나라 '오카'
…라고 하나 봐.
…나라…?
봐봐, 봐봐!!
다닷
사볼까? 이거…
줄줄이 이어진 과자…
와~!!
끝

과자 나라

얘들아 ~.
뭐 하고 있니?
과자 나라…
'오카'에서 산 과자를 먹고 있어요.
'오카'.
나라오카
어떻게 보면 과자 나라…
이긴 하지…?
아~ 그건~~
'나라오카' 야~.
정확히는….
에~
헷…
틀렸네….
아니 …!
어떻게 보면 '과자 나라' 이기는 해.
뭐야 ~~?
끝

또 가자
'오카'!!
뭐…
괜찮겠지….

'샤샤샥 하루하루'

구운 표고버섯

중지
중지 입니다~.
우와……
뭐가?
중지.
와!!
전부.
착악
착악
꺄아아아!!
착악
샥
손톱이 나무에 박혔어!!
끄응~
지금이다.
야아——압!!
오늘 토벌!!
성공 했어…!!
끝

샀다

똑같아

‘큰 토벌’

위이───……잉
운반 된다~~.
위이───……잉
하강 한다.
와아……
우…
긴장되기 시작했어… 큰 도벌….
도착 했다….
영차….

와……아……아
울잖아!!
본 적 없는 버섯이 있네.
우―이얏
하아?
후우……우……우……
무서워?
와……
끝나면 데리러 와준대!!
중간에 포기하면 돼.
안 될 것 같으면
방긋
하아? 하아?
하아?
아무튼 힘내보….
야
북

나타
났다….
야……
쉭쑥
포위해~
포위해~.
타앗
야――
앗
와앗―
우앗――!!
우당탕
확
와.

우… 우…
좀 나아 졌어.
눈앞이 캄캄해져~….
개굴
와앗!! 와앗!!
흠칫
슥
개굴
폴짝
?
…??
??
어…?
앗

휙
도망 쳤다!!
파앗
파앗
하아!!
빙글 빙글 빙글
후웅
돌리 돌리
미안해….
큰 토벌….
아직은 좀 이른가 봐….
그건 포기 신호?
슈욱——
휙
웡이——…잉
또 이거구나.
끝
웡이——…잉
아
슈웅——…

‘...’.

덜컹
영차…
찰싹…
찰싹…
찰싹
……
시무룩…
두리번…
두리번…
탁…
저벅 저벅
짤랑…
덥석
오독 오독
끝

'우르르 하루하루'

화관

화관 만들기

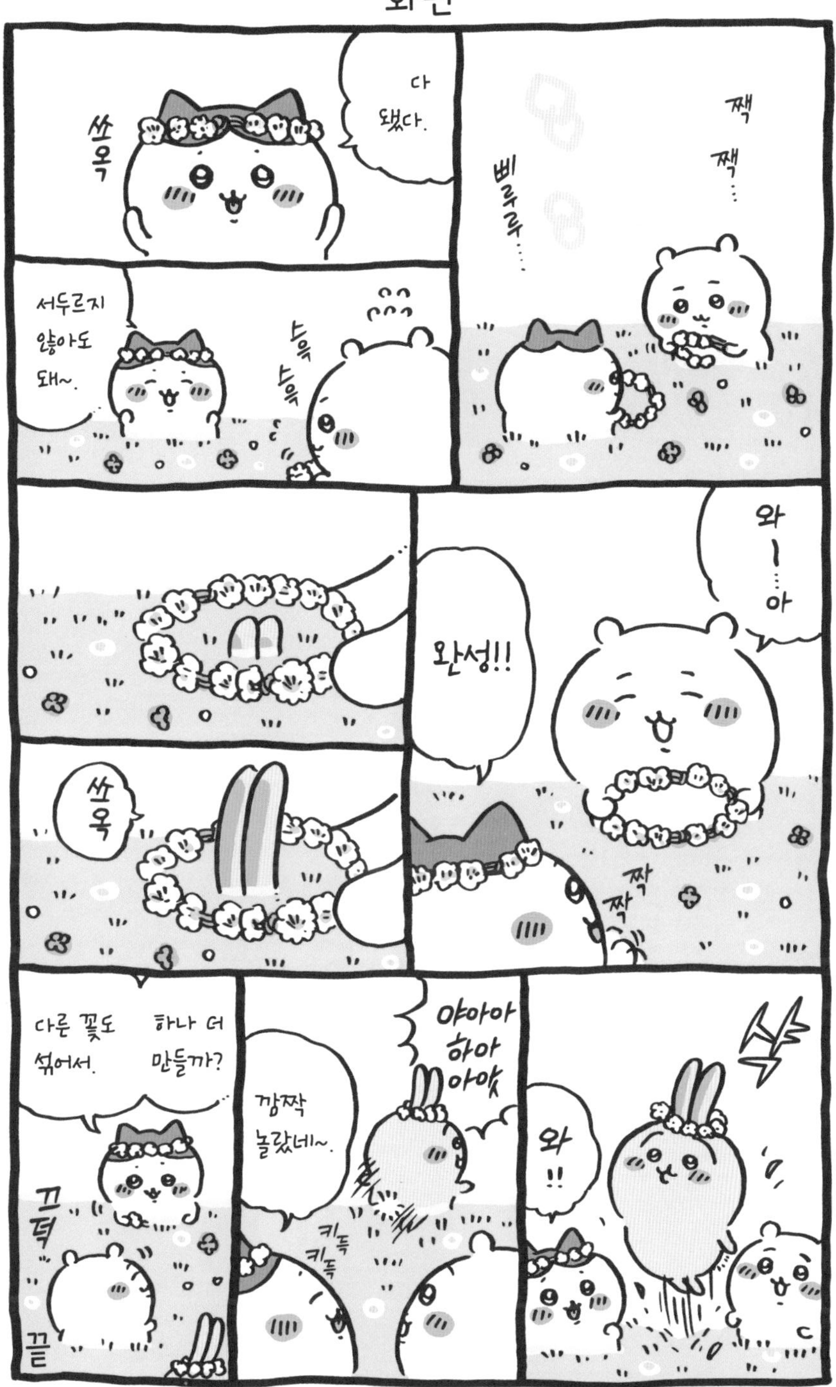

삐루루…
짝
짝…
쏘옥
다 됐다.
서두르지 않아도 돼~.
슥 슥
와ー…아
완성!!
짝 짝
쏘옥
와!!
슥
야아아 하아 아앗
깜짝 놀랐네~.
키득 키득
다른 꽃도 섞어서.
하나 더 만들까?
끄덕
끝

파자마 모임

시끌 시끌
앗!!
파자마 모임
응~?
다음은 간식 타임인가…
와삭
냠냠
꿀맛
다들 모여서…
응 응
노래하며 춤추고 있어!!
우와 우와와 우
빨면 지워져, 지워져.
그거…
와아…
끝
옷에 묻어서 울고 있어.
철퍽

디저트 대집합

저벅…
저벅…
펄럭
휘이잉!…
척
대체 뭐지….
이건!!
이…
다닷
가봐야 해!!
웅성
웅성
부스럭
꿀맛 디저트 대집합!!!
꿀마켓에서 개최 중!!
좋아.
타앙
기다려라….
부다다다다다
끝

어디에 세워놨는지

놈
놈
냥
냥
전리품

'정말로 무서운 이야기'

정말로··· 무서운 이야기
화장실에 갔더니···
무서운 열매···
그 풀
딸칵···
스윽···
슥···
까매서 무서워···
배경이 ···
딸칵···
이 이야기··· 읽어볼래?
으··· 응···
우~~···
그런 일이···?
우앗··· 거짓말···
소곤
소곤
다른 것도 읽어보자.
에엣~~?!!
소곤···
그러고 나니··· 정말로 아무것도 알 수 없게 되었습니다.
우와
우앗
와앗~~!!

힐끔
딸칵…
와아~…
이 이야기도 엄청나네….
소곤…
와와ー!!
아…
깨야~…
하앗…
엇? 대단하다
안 무서워?!
흣…
후훗…
낼름…
!!

무서운 얘기….
재미 있었어….
탁…
탁 탁….
그럼 다음에 보자~.
살랑 살랑
살랑 살랑
깜빡…
깜빡 깜빡…
저벅…
저벅…
뒤늦게 점점 무서워지네.
중얼…
중얼…
왠지…
와와-!!
'심령 현상'?!!
우앗… 우앗… 이건 혹시…
파앗
으아악

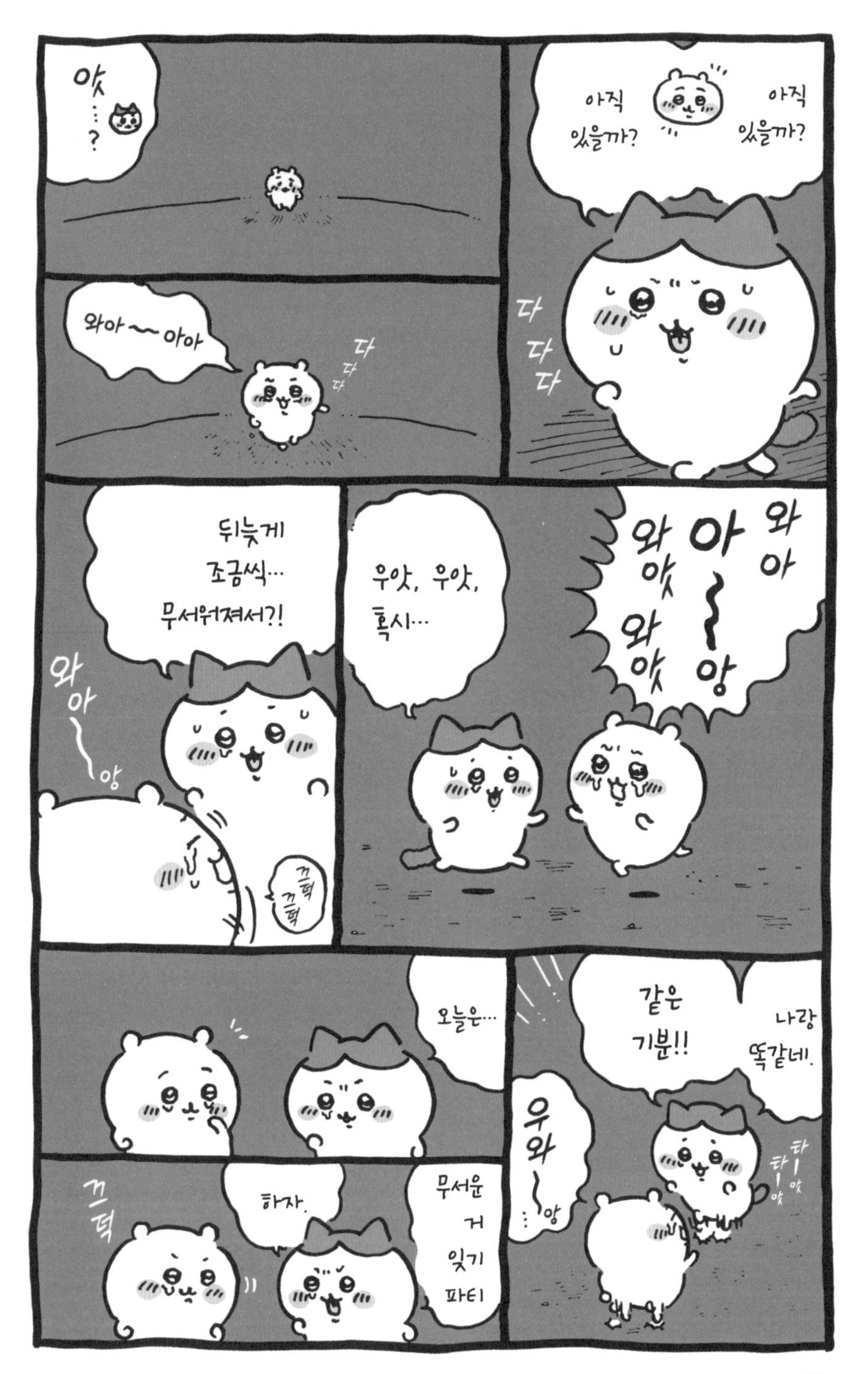
앗…?
와아~~아아
다다다
아직 있을까? 아직 있을까?
다다다
뒤늦게 조금씩… 무서워져서?!
와아~앙
끄덕끄덕
우앗, 우앗, 혹시…
와아~앙
와앗 와앗 와아
오늘은…
무서운 거 잊기 파티
하자.
끄덕
같은 기분!!
나랑 똑같네.
우와~앙…
타앗! 타앗!

예이~
예이~
파스타!!
예이~
예이~
타 파스타
둥칫
둥칫
포레토
예이~
예이~
파스타!!
예이~
예이~
타 파스타
예이~!
예이…
아…
생각
났어?!!
이제 생각
안 나?
후우…
무서운
거…
…어라
?
미안
미안.
부들
부들
또 무서워
졌어~….
나도
덩달아
부들
부들
부들

다
!!
늘어났어.
노래
하네.
우 라
야 하
야하우
라
……
무슨
원리지?
두 배로
빨라졌어.
꺄
하
하
우라야하
야하우랏
……
꺄
아
하
하
노크 소리
엄청 크네.
쾅 쾅 쾅
쾅

응
응
이건
'심령 현상'?!
엇…
그럼…
엇?
오싹
당할…
거라고?
우리
둘
다…
!!!
팡앗
왜
그래?!
리듬까지
타고
있어~….
쾅
쾅쾅
쾅
쾅
쾅
쾅
쾅
응…!!
같이…
싸우자!!
꼬옥
끄
덕
싸우
려고?!

……!!
어…?
벌떡
야ㅡ압
귀신이 아니잖아?!!
하아?
파아
뿌라앗
맛있는 거다…!!
'초코칩 스낵'….
우라
앗
우유를 빌리러 왔다고?
어…? 적셔 먹을
우라
하아?
미안해… 찔러서….
빠르게 하는 건 원래 할 수 있는 거구나.
우라야하 야하우랏
발로 노크하고,

찹찹
놈놈
다행이다. 귀신이 아니라서.
꺄아~ 하하…
꺄하하…
퐁당…
후!!
냠
역시 없나 봐…. '심령 현상'은.
…어라?
창문이… 빨개!!
우라
탕
탕
탕
탕
뭐야 뭐야?!
'심령 현상'?!!
꺄아악
끝
이건… 이건…
하 흑……
덜덜
타앙
깜짝

'빵'

톡
빵
우라
톡톡
후웅
곰 곰…
훽
훽
뭔가 엄청…
뜨거운
바위
츄릅
바삭
바른 다음
구운 빵
뭔가 열매를
잼으로
만들어서

그 맛있게
생긴 거…
내놔.
까딱까딱
내놔.
아?
하
싫~어~
싫어싫어.
교환
조건~?
바삭
바삭
까딱
까딱
따라하지
마!
우~
라~
야하
야하
끝
벌떡
후웅

우~ 라~ 야하 야하
쿵
떡
싫~어~ 싫어싫어.

'비옷'

비옷

비다~.
요즘 비가 자주 오네~.
응……
앗
쏴아아아…
여어~
신작 또 입어보지 않을래?
뭘까?
주섬주섬
뭐야 뭐야?!
비옷인데… 귀는 안 답답해?
아주 조금.
도리도리
꾸욱…
파앙
어머나
끝

뜨끈뜨끈해지는구나

모티브에
너무 집착했나 봐~.
저어,
서둘러서 귀 커버까지.
쏘옥
이건 뭐예요?
아~ 그거.
실은 타월이 수납되어 있어.
주르륵
와
개선의 여지가 있군.
쏴아아…
벗겨졌다!!
훌러덩
뜨끈 뜨끈
뜨끈뜨끈해지는구나~.
끝

만들다

이러면 비싸지겠는걸.
안녕.
우앗
통기성이랑~ 귀 부분을….
오오
다음에 또 '직접' '도시락' 싸서 '피크닉' 가지 않을래?
신작이야~?
그것도 도시락은 샌드위치로만.
'좋지', 그거!!
난항 중.
'만드는' 거…
많이 좋아하는 구나~.
그렇다면 빵 부분은 햄으로 만들고~….
샌드위치 라~~.
끝

'꿀맛맨'

꿀…맛…
시식
이벤트?!
후
!!
꿀맛
시식
이벤트
왠지…
재미있을 것
같아….
후웅…
탁
꿀
꺽
츄르릅…
습…
'여러분의 입을
맛있게
해드리겠습니다'
…래.
'신상품을
한발 먼저.'
이건
뭐지?
꿀맛맨도
온다!!
응!!
가자,
다 같이!!
와아~…아
'히어로'
구나!!
와아-

여기 자리 비었어~.
와~…아
웅성…
시끌
시끌…
웅성…
거품 나는 비누
장내 환경을 정돈하라
꿀맛
시식 이벤트…
후루룩
내일이지?
응…
아!!
따라라라라~란
따라라라라~란
……
유산균!!
유산균!!
저게 '꿀맛맨' 인가?!
응응
!!!
사진 찍자!! 꿀맛맨이랑!!
카메라 가져와서…

와아~~…
드디어 왔어 '시식 이벤트'!!
찰칵
시끌
시끌
꿀맛
이거… 신제품 베리 요거트래!!
안절…
부절…
찹 찹
벌써 먹고 있네.
소믈…?
뭔가… '소믈리에' 같아.
오물 오물
후웅…
앗!!
이 노래는….
장내 환경을 정돈하라
맛있다~.
두리번…
두리번…
두리번…
두리번…
이 쪼그만 스푼… 갖고 싶다….

꿀맛맨
이다!!
꿀맛 스테이지
배 속
상태를
점검하자
와……
응 응……
가자
가자.
유산균.
……!!
유
산
균
!!
유
산
균
!!
잘됐다!!
찍을 수
있겠어!!
……
같이
사진 찍고
있는데?!
철컥
무대에서
내려왔다!!

웅성 웅성
잘 찍어 줄게.
시끌 시끌
가서 옆에 나란히 서봐!! 내가 카메라맨 해줄 테니까.
찰칵
머뭇…
찰칵
머뭇…
……
시끌 시끌
쭈뼛… 쭈뼛…
어어엇.
와—아
맛 스테이지
돌아 갔네…
안 찍어도 돼? 사진…
끄덕…
왜 그래?
터덜… 터덜…
와—아
시끌 시끌

어라 …?
잘 나왔어.
와ㅡ 아
찰칵
……
……
시끌 시끌
웅성 웅성
안녕~. 여기 와있었구나~.
안녕 하세요~.
앗
쪼옥ㅡ
신제품!!
마시는! 꿀맛
시식하러 왔어요?
그냥, 좀 도와 주러….
그럼 그 카메라로 꿀맛맨이랑
사진도 찍었겠네?
…못 찍었어요 ….
도리 도리…
……
…꿀맛맨은 봤니?
봤어요!!

기회….
……
또 찍을 수 있는 기회가 올지도….
뭐, 어쩌면
저벅 저벅
어라?
어디 갔었어?
할짝
촙 촙
와—아
꺄—아
와—아
와—아
다다
다다
맛있겠다….
그거
후~웅후웅
와아아아아
쉭 쉭
기회!!!!
끄덕
기회….
꿀꺽…
저기 봐….
꿀맛맨이야.
와—아
…!!!
와—

벌써 이렇게 많네.
웅성 웅성
우앗….
와와
웅성…
와!!
와아
웅성…
웅성…
와-
두리번 두리번
두근…
두근…
분명히 있을 거야… 순간적으로… 기회가…
분명… 기회가…!!
있을 거야….
부릅
!!!
하앗!!
기회…
두근
두근…
두근…

아……
와아…!!
얏!!
꽈당
찰칵
찍는다~!!!
응
이 사진…
정말
'보물'이네.
FILM
끝

보물

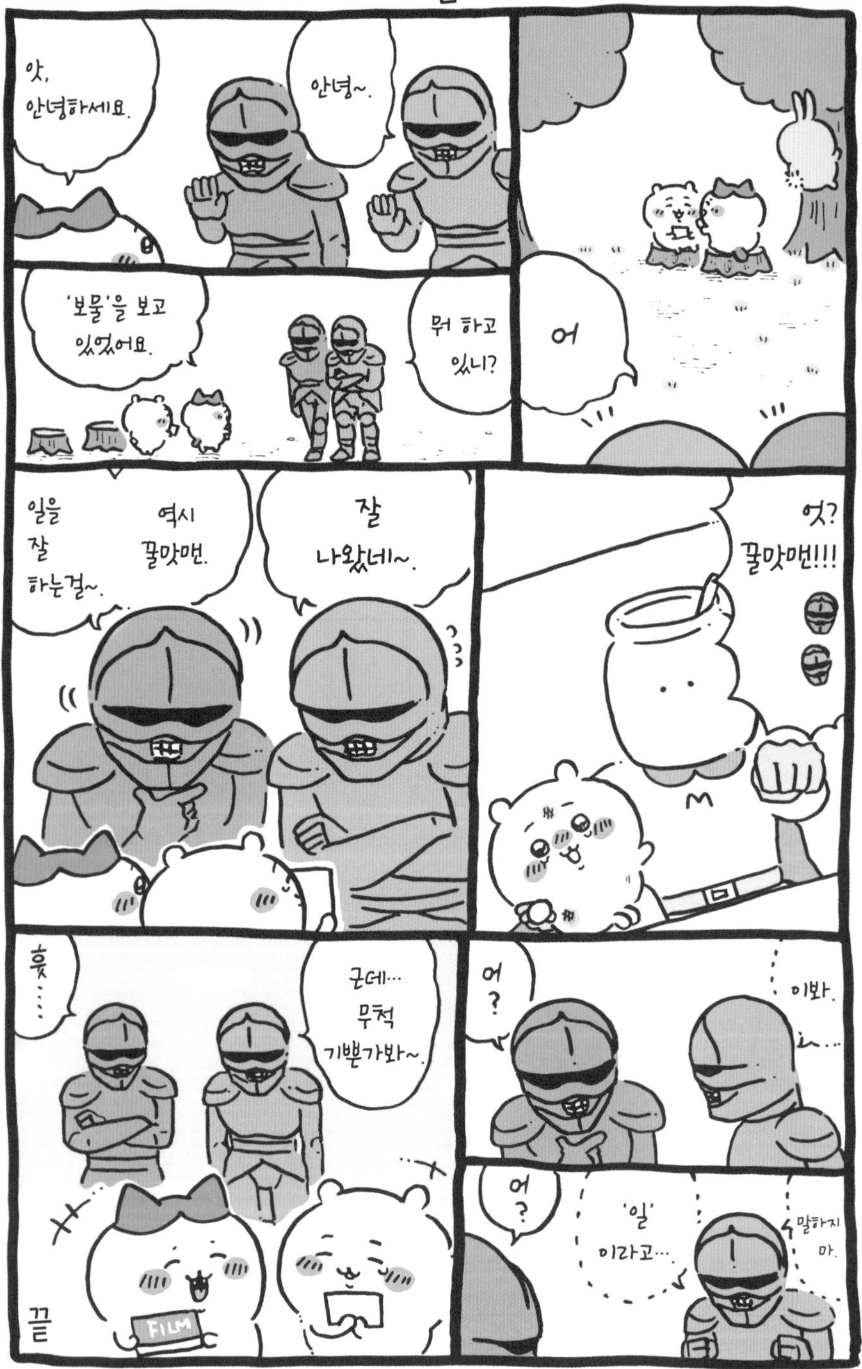

앗, 안녕하세요.
안녕~.
뭐 하고 있니?
'보물'을 보고 있었어요.
어
일을 잘 하는걸~.
역시 꿀맛맨.
잘 나왔네~.
엇? 꿀맛맨!!!
흣……
근데… 무척 기쁜가봐~.
어?
…이봐.
어?
'일'이라고…
말하지 마.
끝

액자
살까?
응...

'와앗, 하는 하루하루'

모르는 동네

살랑…
살랑…
와아 아…
벌떡…
음냐…
쭈―욱
우우~웅
기지개
후아 암…
푹 잤네~.
모르는 동네가 꿈에 나왔어….
뭔가… 전혀…
뭔가 꿈꿨어?
끄덕
……
잊어 버렸구나.
에헤헷
…응?
끝

부~웅

시궁창에 빠졌어.
노동
파리가 꼬여들고 있어!!
우앗
부ㅡ웅
효과음을… 입으로 내지 마.
부우우우웅…
저기 수돗가에서 씻자…
아~ 정말.
촤아ㅡ…
철벅 철벅
그만해, 그만해.
파다다닥
으ㅡ…음
복슬 복슬
파다닥
끝

근육
훨조오옹~~~……아…아…읏
쭈욱…
뭐 하는 거예요?
'근육'이.
단련이 되는 거지
근육….
해봐.
와……
앞으로 가고 있어.
하나… 둘….
르르륵
또르르
왠지… '자동차'가 된 기분.
꺄아~…하하하
와~!!
으~ …음~
끝

점심밥

부스럭 부스럭
엇? 햄버거네.
점심밥… 먹어야지.
잘게 찢은 닭가슴살과 브로콜리
으……
꿀꺽……
냠
끄덕
먼저 먹는 거야?
피클이 싫어서
햄버거의 냄새가 남아 있어서 맛있네.
오독…
냠
끝
피클.
내가 먹어도 될까?
어?!
아~… 그럼…
힘내~.

확실

무릎 꿇고 팔굽혀펴기
영차
으쌰…
우앗
뭐 하고 있는 거야?
근육 트레이닝.
후우ㅡ
다 했다, 10번.
오오ㅡ
근육이 많이…
붙었을 지도…
어~?
킥킥
불끈
와하하하 그렇게 빨리는…
이, 이봐!!
'모티베이션'이라는 게 있다고…
아… 그렇지…
근육이 생겼어!!
'확실'하게!!
흣…
척
불끈
끝

'함께 지내기'

굴

찌익
생굴
짜악
나누어 줬어!!
어…?
츄릅
레몬 칵테일
와…
저 목 넘김….
꿀꺽
꿀꺽
저 목 넘김 ….
꿀꺽
비려… 비려… 비려…
레몬 스카시
츄릅
바다향
끝

모자

또 다른 신작
'모자' 입니다.
와!!
비옷은 좀 어때요?
난항 중…
큰 방울로
개성을 연출해 봤어.
주섬 주섬
휘청
에고!!
철푸덕
꽈당
너무 무거웠나?
미안 미안…
어?!
키로 단단히 지탱하고 있음…
괜찮은 경우도… 있구나…
꼿-꼿
끝

트럼프

다음은 뭐 할까?
샤 샤
트럼프. 섞어 볼래?
와… 와…
트럼프
샤 샤
촤라라라라라
라락
영… 차 영… 차
샤… 샤…
아~ 아~
탁
파라라
라락
!!
광장하다… 섞는 거…
와아…
다음은 '다우트' 게임 할까?!
어~ 어~
끝

양철통 쿠키

아…
테이프
와아~아!!
꿀맛
쿠키
당첨 축하합니다!!
KKUL MAT
부스럭
부스럭 부스럭
뭐야뭐야?!
그 양철통!!
와~아!!
응!!
떼봐도 돼?!
양철통 테이프…
떼자.
찌익…
다 같이 한 면씩
아―앗!!
달칵
짜아
후웅
당첨됐구나! '양철통 쿠키'.
후…
같이 먹어도 돼?!

찌익—
기분 좋다.
후…웅…
우아—앙!!!
왜 그래?!
어…?
펄럭
톡
에잇…
톡 톡
훌쩍…
흐우…
아!!
양철통에 들어있던 뽁뽁이
경쾌한 소리!!
뿌다다 다닥
우라
끝
해보고 싶어, 해보고 싶어.
와아~아
톡
톡

'추억의'

거길 눌러봐~.
와아~!…아
저번에… 네가 찍어준 것도 들어있어.
나왔어, 저번에 찍은 사진.
와아!!
어떻게 나왔을까~…?
두근 두근
부스럭…
우앗, 굉장해!! 다 잘 나왔네!!
……!!
뭐야, 이게~.
꺄~
하하…
후훗
혀 내밀고 있어…
가끔 내밀고 있다고?!
정말?
후!!
끝

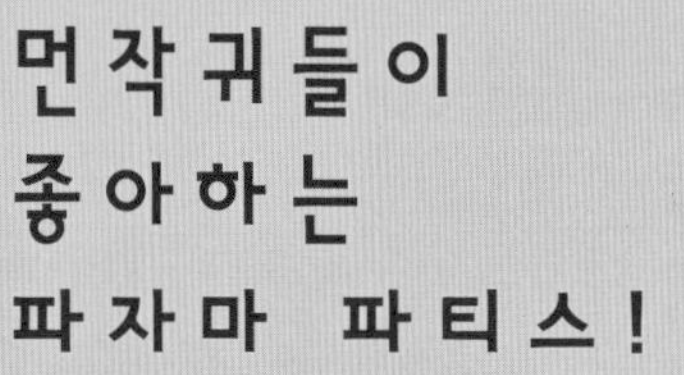

우·우
와·와
우와…

'왕꿀
페스티벌'을
앞두고 연습 중!
그런데 멤버가
납치당하는데….

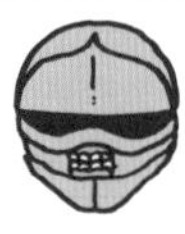

많이 기대해주세요!